We Were Not There

Also by Jordi Doce

Poetry
Mar de fondo (pamphlet), 1990
La anatomía del miedo, 1994
Diálogo en la sombra, 1997
Lección de permanencia, 2000
Otras lunas, 2002
Gran angular, 2005
Poética y poesía, 2008
Nada se pierde. Poemas escogidos, 2015
No estábamos allí, 2016
Nothing is Lost. Selected Poems, 2017
Libro de los otros, 2018

Diary / Aphorisms
Hormigas blancas, 2005
La vibración del hielo, 2008
Perros en la playa, 2011

Prose / Literary Criticism
Imán y desafío. Presencia del romanticismo inglés en la poesía española contemporánea, 2005
Curvas de nivel. Artículos, 2006 (new ed., 2017)
La ciudad consciente. Ensayos sobre T.S. Eliot y W.H. Auden, 2010
Las formas disconformes, 2013
Zona de divagar, 2014
La puerta verde. Lecturas de poesía angloamericana contemporánea, 2019

As Editor
Agenda Review. An Anthology of Spanish Poetry, 1997
Poesía hispánica contemporánea. Ensayos y poemas, 2005 (with Andrés Sánchez Robayna)
Poesía en traducción, 2007
Pájaros raíces. En torno a José Ángel Valente, 2010 (with Marta Agudo)
Lost City / Ciudad perdida, 2010
Don de lenguas. Entrevistas literarias, 2015

Jordi Doce

We Were Not There

Translated from Spanish by
Lawrence Schimel

With best wishes

Shearsman Books

First published in the United Kingdom in 2019 by
Shearsman Books
50 Westons Hill Drive
Emersons Green
BRISTOL
BS16 7DF

Shearsman Books Ltd Registered Office
30–31 St. James Place, Mangotsfield, Bristol BS16 9JB
(this address not for correspondence)

www.shearsman.com

ISBN 978-1-84861-681-3

Originally published as *No estábamos allí*
by Editorial Pre-Textos, Valencia, 2016.

Contents

I

II

To Marta

Puesto que la mitad de la vida ha pasado ya, cómo en este momento
no he recorrido ningún camino, sino que, más bien, estoy ahí
solamente como uno que se salva del agua,
y al que el sol empieza a secar benéficamente.
J. W. GOETHE, *Diario* (1779)

No digas: ahí estuve yo. Di siempre: ahí no estuve nunca.
ELIAS CANETTI, *La provincia del hombre* (nota de 1966)

Now that half of my life has passed
I find that I have made but little progress,
and I stand here like one who has barely escaped drowning
and who is drying himself in the grateful rays of the sun.
J. W. Goethe, *Diaries* (1779)

Don't say I was there. Always say I was never there.
Elias Canetti, *The Human Province* (note written in 1966)

I

Ninguna noche se avergüenza de la oscuridad.
Juan Carlos Mestre

I

No night is ashamed of darkness.
Juan Carlos Mestre

Entonces

Cuando el mundo se convirtió en el mundo
la luz brillaba como de costumbre
sobre un reloj indiferente,
el aire estaba lleno de comienzos
y mil veces en mil calles distintas
alguien se tropezaba en una piedra
y esa piedra le abría los ojos;
fue la ocasión que todos esperábamos
para tomar las mismas decisiones,
besar de nuevo el mismo suelo,
decir los hasta luego de anteayer;
y el rostro amado y rutinario
que fingía escuchar
o brindaba una mano distraída
volvió a apartarse antes de tiempo.
Detrás de las ventanas crecía la penumbra,
una gaviota hurgaba en la basura
y los niños jugaban casi a ciegas
ignorando los gritos de sus madres.
Era un día cualquiera bajo el cielo,
con su ruido de fondo en nuestras venas
y el hollín de la noche borrando cercanías.
Quien guardó una moneda en su bolsillo
no fue más rico a la mañana.
Nada ocurrió que pueda recordarse,
ninguno de nosotros se dio cuenta
cuando el mundo se convirtió en el mundo.

Then

When the world became the world
the light shone like always
upon an indifferent clock,
the air was full of beginnings
and a thousand times in a thousand different streets
someone tripped on a stone
and this stone opened their eyes;
it was the moment we all waited for
to make the same decisions,
to again kiss the same ground,
to say the goodbyes of the day before;
and that beloved everyday face
that pretended to listen
or invited a distracted caress
once again pulled away too soon.
Beyond the windows the darkness grew,
a seagull rummaged in the trash
and the children played, almost blindly,
ignoring their mother's shouts.
It was an ordinary day under the skies,
with its background noise in our veins
and the night's dark soot erasing the surroundings.
He who saved a coin in his pocket
was not richer in the morning.
Nothing happened that could be remembered,
none of us realized
when the world became the world.

Con los ojos abiertos a la orilla del mundo

Wide awake on the edge of the world...
STEVE HOGARTH

Fueron los tiempos de la nueva austeridad.
Lunas rotas en los escaparates
y el viento atravesando los relojes;
rostros que los espejos no apresaban
y palabras manchadas por el hambre.

Los perros iban y venían por el barrio
imitando las formas grotescas de los árboles.
En sus paseos dibujaban una selva de aromas
y al fondo de la selva un templo reluciente,
lleno de pájaros que nunca oiríamos.

Todo el mundo salía con maletas,
estábamos en tránsito sin ganas de viajar.
Lejos de la sospecha de los patios
el cielo planteaba ecuaciones incomprensibles
como el habla de los amantes.

Muchas veces el sol brilló por su ausencia,
muchas veces lo hicimos brillar en sueños.
Cada día durante un año
llegaron cartas de lugares por descubrir,
cartas en blanco para mi padre muerto.

Y el cartero, con las primeras luces,
descansaba en un banco de la esquina
para calmar su sed
en la niebla insistente
que mordía sus pasos.

Wide Awake on the Edge of the World

Wide awake on the edge of the world...
Steve Hogarth

It was the time of the new austerity.
Shattered glass in the shop fronts
and wind whistling through the clocks;
faces that mirrors couldn't grasp
and words stained by hunger.

Dogs came and went through the neighbourhood
imitating the grotesque shapes of the trees.
Their wandering drew a forest of scents
and deep in the heart of the forest a shining temple,
filled with birds we'll never hear.

Everyone came out with suitcases,
we were in transit, in no mood for travel.
Far from the suspicion of the yards
the sky offered incomprehensible equations
like the language of lovers.

Often the sun shone by its absence,
often we made it shine in dreams.
Every day for a year
letters arrived from undiscovered places,
blank letters for my dead father.

And the postman, at dawn's first light,
rested on a bench at the corner
to quench his thirst
in the insistent fog
that nipped at his footsteps.

Suceso

No estábamos allí cuando ocurrió.
Íbamos de camino a otra ciudad,
otra vida,
bajo un cielo cambiante que se movía con nosotros.
Cruzamos campos verdes, amarillos,
pueblos de gente suspicaz y cuervos impasibles,
y ni una vez echamos en falta nuestra casa
o sentimos nostalgia del pasado.
Así era el viaje:
por la noche silencio,
a la mañana niebla.
Una vez encontré un botón de hojalata en el bolsillo
y jugué a sostenerlo bajo el sol,
arrojando destellos a las altas espigas.
Luego fue una moneda usada
y tuvimos el paso franco en todos los controles.
Las llanuras de Europa son testigo.
Ellas saben también que algo ocurrió,
aunque nunca lo viéramos.
Íbamos de camino a otro país,
otra vida,
sin bultos estridentes,
sin lugar para el recuerdo.
Todo salía a nuestro paso,
ahora silencio y luego niebla.

Incident

We were not there when it happened.
We were on our way to another city,
another life,
under a changing sky that moved with us.
We crossed fields of green then yellow,
towns of suspicious people and impassive crows,
and not once did we miss our home
or feel nostalgia for the past.
That's how the journey was:
at night silence,
in the morning mist.
Once I found a tin button in my pocket
and played at holding it under the sun,
throwing glimmerings onto the tall crops.
Later it was a used coin
and we had free passage at every checkpoint.
The plains of Europe are our witnesses.
They also know that something happened,
although we never saw it.
We were on our way to another country,
another life,
with neither flamboyant luggage
nor room for memories.
Everything opened before us,
now silence and later mist.

Sin título

No sé bien de qué hablamos
ni por qué…
Quizá sólo la noche
dijera cosas con sentido,
retirada unos pasos
junto al muro de las lamentaciones.
Los demás nos quitábamos el miedo
compartiendo tabaco y preguntas retóricas.
Hierba rala, costras de tierra seca,
el exiguo calor de la amapola
respirando bajo la lengua de los insomnes.
No sé bien qué dijimos
ni para qué…
El mundo se escurría fuera del campamento
pero ningún reloj se dio cuenta.
Los perros, los caballos,
dormitaban por turnos
y sus ronquidos nos servían para reconocernos.
¿Por qué nadie se acuerda a estas alturas?
Hambre y frío cortante.
Bajo la luna insatisfecha
sólo palabras y palabras.

Without Title

I don't quite know what we talked about
nor why…
Perhaps only the night
said things that made sense,
withdrawn a few steps
against the wailing wall.
The others kept fear at bay
sharing cigarettes and rhetorical questions.
Sparse grass, scars of dry land,
the paltry warmth of the poppy
breathing beneath the tongues of the sleepless.
I don't know what exactly we said
nor what for…
The world slipped away outside the camp
but no watch realized.
The dogs, the horses,
drowsed in shifts
and their snores let us recognize ourselves.
Why does no one remember now?
Hunger and cutting cold.
Under the unsatisfied moon
just words and words.

Fábula

The want of a nail
Todd Rundgren

Porque me faltaba un clavo
no pude herrar a la yegua
Porque la yegua se quedó en casa
no fui capaz de avisarte
Porque saliste desprevenida
te sorprendió la tormenta
Porque la nieve cegó tus ojos
te perdiste a medio viaje
Porque estabas sola entre la nieve
fuiste a refugiarte bajo un roble
Porque el cielo se había parado
tu sombra se juntó con tu cuerpo
Porque el tiempo se había parado
tu cuerpo se juntó con el roble
Porque la nieve siguió cayendo
parecías un ala de cuervo
Porque caía sobre sí misma
eras ya un clavo pequeño
un clavo que saqué de mi frente
antes de guarnecer a la yegua
y salir a la intemperie porque

Fable

The want of a nail
Todd Rundgren

Because I lacked a nail
I couldn't yoke the mare
Because the mare stayed home
I wasn't able to warn you
Because you went out unprepared
you were surprised by the storm
Because the snow blinded you
you got lost half way
Because you were alone in the snow
you took refuge under an oak
Because the sky had stopped
your shadow merged with your body
Because time had stopped
your body merged with the oak
Because the snow kept falling
you looked like a crow's wing
Because it fell upon itself
you were now a small nail
a nail I plucked from my forehead
before harnessing the mare
and going out into the open because—

Incógnita

La voz del que corría por el bosque
¿era la tuya?
¿Eras tú quien hablaba
en la zanja contigua,
a solas con su miedo?
¿Susurrabas
en mitad de ninguna parte,
tumbado entre hojas secas?

Noche adentro
todo es cruz.
Todo escapa
cuando limitas con su sombra.

Almizcles te denuncian. Ropa vieja.
La cautela
que siembras al andar,
como esporas.

La pupila del cuervo
te va cortando a su medida.
El color de los abedules
es el color del extravío.

Unknown Quantity

That voice that raced through the forest,
was it yours?
Were you who spoke
from the neighbouring ditch,
alone with your fear?
Did you whisper
in the middle of nowhere,
lying among dry leaves?

In the deep of night
everything is a cross.
Everything flees
when you brush against its shadow.

Musks betray you. Old clothes.
The caution
you sow as you walk,
like spores.

The crow's pupil
cuts you down to size.
The colour of the birches
is the colour of loss.

Herida

Mira bien lo que dices,
el húmedo algodón,
la gasa carmesí donde se aquietan
los bríos de otro tiempo, el terco azar.

Esto que ha muerto es el reflejo
donde dura tu vida.
Esto que ha muerto,
sangre parada sobre blanco.

Perfecta conclusión
que no concluye,
dice lo que hay en ti de sordomudo,

lo íntimo de ti que no sabías
y duele al desplegarlo, frágil,
como una herida.

Wound

Be careful what you say,
the damp cotton,
the scarlet gauze where your old verve,
stubborn fate, settle.

What has died is the reflection
where your life carries on.
What has died,
blood halted upon white.

Perfect conclusion
that doesn't conclude,
what within you is deaf and mute says,

this intimate part of you you didn't know,
that hurts when unfolded, fragile,
like a wound.

Exploración

Ir allí donde nadie había estado nunca.
El lugar de los lugares, decían.
Un fuego me quemó por dentro y no hubo tregua.
Tierras sin nadie, nubes errantes, algún árbol.
Seguí viaje hacia la frontera de mí mismo.

Exploration

To go there where no one has ever been.
The place of all places, they said.
A fire burned me from within and there was no respite.
Wastelands, wandering clouds, some trees.
I kept on traveling toward my own borders.

Paisaje

Fueron los años mejores,
los años del surco y el sembrar.

Ahora todo es hacer cuentas,
la dosis que amansa.

El cielo no tiene nada que decirte
pero seguirá girando.

Muros altos, claraboyas,
polvo en suspensión
que simula un firmamento.

Bienvenido a la tristeza
de los almacenes.

Landscape

Those were the best of years,
the years of furrows and of sowing.

Now's the time of bookkeepers,
the dose that soothes.

The sky has nothing to tell you
but will keep on turning.

High walls, skylights,
airborne dust
that shams a firmament.

Welcome to the sadness
of warehouses.

Aquí

Con Maribel Nazco

Es un sol que amanece como si se pusiera.
Una luz incompleta, la paciencia del tallo.
No sabes dónde estás,
por qué ruta llegaste,

pero aquí, donde el suelo
tiembla bajo tus pies
como un idioma a punto de extinguirse,
la curva del brotar y la curva del horizonte

se confunden,
respiran una en otra
para limar las formas de la tierra,
los velos y espesores de la tierra.

Aquí, donde tus ojos son ojos que te miran
y nada es del metal de que está hecho:
deltas, riberas, vestigios de animales
y cuerpos que se buscan bajo un sol ilusorio.

Here

With Maribel Nazco

It's a sun that rises as if it were setting.
An incomplete light, the patience of the stem.
You don't know where you are,
by what path you arrived,

but here, where the ground
trembles beneath your feet
like a language about to expire,
the curve of blossoming and the curve of the horizon

blur together,
breathe one into the other
to polish the forms of the earth,
the mists and depths of the earth.

Here, where your eyes are eyes that look at you
and nothing is the metal its made from:
deltas, riverbanks, vestiges of animals
and bodies seeking one another beneath an illusory sun.

Piedra

A Edmundo Garrido

Vine para estar cerca de la piedra

—la piedra que aguarda en cualquier camino,
anónima y fiel,
que vio durar soles, planetas, prodigios
remotos,
que sufrió el castigo de vientos volubles
y fue deshojándose, menguando sencillamente,
descuidando sus confines
por los siglos de los siglos,
balbuciendo en sueños con la boca llena

—la piedra que estaba dentro de sí misma,
luchando por aflorar

—la piedra que poco a poco se convirtió en grumo,
en grano,
en polvo de escoria que el aire se lleva lejos
y desciende aquí, donde no hay camino,
vistiendo mis ropas y hablando en mi nombre.

Stone

For Edmundo Garrido

I came to be close to the stone

—the stone that waits in any path,
anonymous and loyal,
that saw suns, planets endure, remote
marvels,
that suffered the punishment of fickle winds
and was stripped clean, simply dwindling,
neglecting its own boundaries
through the centuries,
mumbling in dreams with a full mouth

—the stone that was within itself
struggling to bloom

—the stone that little by little became a lump,
a granule,
the dust of dross that the air carries far away
and drops here, where there is no path,
dressed in my clothes and speaking in my name.

El monumento

De qué está hecho, no lo sé.
Quizá de alguna clase de madera liviana
como el sauce,
o de escamas de cobre,
o del cristal que deja el caracol entre la hierba,
impuro y desenvuelto.
Difícil decidirlo a esta distancia.
La luz del mediodía
lo envuelve en brillos submarinos
como si fuera un ancla descansando en la arena.
Pero no está en el fondo de ningún mar
sino en la tierra,
sobre la tierra,
con sus raíces bien plantadas y el torso expuesto.
Respira el mismo aire que nosotros,
el mismo clima,
aunque el viento que emerge al final de la tarde
le haga mover las aspas de sus brazos
y parezca un estupa con banderas de oraciones.

De qué está hecho, no lo sé.
El teatro del cielo me confunde.
Doy vueltas a sus formas con los ojos
y estudio cada muesca,
cada surco,
creyendo hallar correspondencias.
Hablo con él como con un hermano
pero me ignora como un hijo.
Una estatua de espinas, una cruz emplumada.
Y ese poco de sombra
que prospera en las horas muertas.
Visto de arriba abajo
es lo que tú quieres que sea.
Visto de abajo arriba
es lo que tú podrías ser.
En cualquier caso, estás perdido.

The Monument

What it's made of, I don't know.
Perhaps some kind of lightweight wood
like willow,
or copper leaf,
or that crystal
the snail leaves behind in the grass,
impure and assured.
Hard to say at this distance.
The light of midday
wraps it in underwater shine
as if it were an anchor resting on the sand.
But it is not at the bottom of any sea
but on land,
on dry land,
with its roots dug deep and its torso exposed.
It breathes the same air that we do,
the same climate,
although the wind that arises at the end of the day
makes it shift the blades of its arms
so it resembles a stupa hung with prayer banners.

What it's made from, I don't know.
The sky, increasingly more theatrical, confuses me.
My eyes circumnavigate its shape
studying each groove,
each furrow,
thinking I find connections.
I speak with it like to a brother
but it ignores me like a child.
A statue of thorns, a feathered cross.
And that little bit of shade
that thrives in the dead hours.
Seen from top to bottom
it is what you want it to be.
Seen from bottom to top
it is what you could be.
In any case, you're lost.

Primer acto

–Aquí estás, con las ruinas.
–Es mi sitio.
–¿Llegaste por tu cuenta,
o alguien movió los hilos sin querer?
–Brillaban como nieve.
Eran copos que el viento
mecía en breves remolinos.
–Es triste el espectáculo
de la repetición, el agua
desnutrida.
–Nadie me dijo nada. –Nadie
era la contraseña.
–Hablas como si fuera irremediable.
–Hablamos por hablar, o así parece.
–Pero el niño que hablaba con el cuervo
no decía lo mismo.
–El niño se perdió en el bosque.
                                                    –Huellas
y más huellas en círculo,
como una diana…
                                    –Lo recuerdo.
Era una tarde de septiembre
y el calor arreciaba:
polen sucio, álamos orgullosos
como lenguas de fuego.
–Lo recuerdo. Había tres caballos
en lo alto de una colina.
–Lo recuerdo:
el mundo estaba en calma y la casa en silencio.
–Pero el niño que dibujaba cuervos
vivía en esa casa.
–Era una mella en el mirar,
una mota de polvo en el ojo indefenso.
–La vi más tarde,

First Act

"Here you are, among the ruins."
"This is where I belong."
"Did you get here on your own
or did someone pull strings unaware?"
"They shone like snow.
They were flakes the wind
swirled in small whirls."
"How sad the sight
of repetition, the inert
water."
"No one told me anything." "No one
was the password."
"You speak as if it were irreparable."
"We speak for the sake of speaking, or so it seems."
"But the boy who spoke with the crow
didn't agree."
"That boy was lost in the forest."
                                        "Tracks
and more tracks in circles,
like a bulls-eye…"
                              "I remember.
It was a September afternoon
and the heat thickened:
pollen dust, proud elms
like tongues of fire."
"I remember. There were three horses
on top of a hill."
"I remember:
the world was quiet and the house was calm."
"But the boy who drew crows
lived in that house."
"It was a blemish in the gaze,
a dust mote in the helpless eye."
"I saw it later,

posada sobre nuestros nombres
en el libro de entradas de la clínica.
–Allí, junto a los árboles nevados,
fuimos felices.
–Pero el niño que alimentaba al cuervo
era el dueño y señor de los pasillos.
–Lo sabes.
                    –Más allá de los árboles no hay nada.
–No. Sí. Quiero decir que has vuelto.
–Aquí estoy, con las ruinas.
–Nunca te fuiste.
–Siempre lejos, siempre volviendo a casa.

resting upon our names
in the clinic's sign-in register."
"There, beside the snow-capped trees,
we were happy."
"But the boy who fed the crow
was lord and master of the halls."
"Now you know."
                                        "Beyond the trees there is nothing."
"No. Yes. I mean you've returned."
"Here I am, among the ruins."
"You never left."
"Always far away, always coming back home."

Grendel

Beowulf, II, I-II

Llega el monstruo puntual,
incomprensible,
se cuelga del gran techo de madera
y blande entre los hombres caudalosos,
los hijos del tiempo,
su látigo de renacuajo,
sus abismos de saña y mala muerte.
Llega para quedarse, exasperado
por el canto del juglar
y la lumbre juiciosa de las teas,
la sangre madura de los vivos.
Sagaz, inabarcable,
su rapiña envilece las crónicas,
ondula por los siglos de los siglos
bajo un manto de vaho y falsedad
y allí, en el lugar de los objetos truncos,
de los fragmentos miopes,
deja un rastro de babas que complican el día,
suturan la noche. Allí, secretamente,
lejos de las insomnes catedrales de acero,
entre despojos y fachadas rotas
y espectros que jamás tuvieron nombre,
en la esquina zurda de cualquier margen,
donde un viejo aferrado a un cartel mendicante
pregona su canción de fin del mundo:
No hay tiempo
Estamos perdidos
Rezo por todos nosotros
ACEPTO LA VOLUNTAD

Grendel

Beowulf, II, I-II

The monster arrives punctual,
unfathomable,
dangling from the great wooden ceiling
and blandishing among the mighty men,
the children of the time,
its pollywog whip,
its abyss of malice and wickedness.
It arrives to stay, exasperated
by the minstrel's tune
and the sensible glow of the firebrands,
the mature blood of the living.
Astute, unmanageable,
its thieving enlivens the chronicles,
undulating for centuries on end
beneath a mantle of smoke and falsehood
and there, in the place of the truncated objects,
of the myopic fragments,
its leaves behind a trail of drool that complicates the day,
stitches up the night. There, secretly,
far from the sleepless steel cathedrals,
between spoils and broken façades
and spectres that never had names,
in the left corner of any margin,
where an old man clutching his begging placard
parades his song of the end of the world:
There is no time
We are lost
Pray for us
ANYTHING WILL DO

Refutación

la palabra rosa *es la ausencia de toda rosa*
Stéphane Mallarmé

Atado a la palabra *soga*
hay un hombre. ¿Lo ves?
Vuelve a decirlo: *soga*.
Y luego:
soga, un hombre se arrastra
de un lado a otro del poema.
¿Pesa?
Soga. Nuevo tirón.
Soga. Basta. No te demores.
¿No ha sufrido bastante?
Termina de una vez.
¿Cómo?
Soga.

Refutation

the word *rose* is the absence of all rose
STÉPHANE MALLARMÉ

Tied to the word *noose*
there is a man. Do you see him?
Say it again: *noose.*
And then:
noose, a man is dragged
from one side of the poem to the other.
Heavy?
Noose. A new tug.
Noose. Enough. Don't delay.
Hasn't he suffered enough?
Put an end to it already.
How?
Noose.

Una vida

A Julieta Valero

1. Aquí y ahora. Sin remedio. Ciegos embates.

2. Nació con sendas frases grabadas en las palmas de sus manos. La frase de la mano izquierda estaba escrita del derecho; la frase de la diestra, del revés. Cuando doblaba una de sus manos en un puño la palma de la otra resplandecía.

3. Escogido al azar. Inseguro y mudable. Filamento de sangre, breve como el caer de una hoja.

4. Ella era una extensión de su cuerpo. Ella era el límite absoluto de su cuerpo. Cara y cruz, moneda tácita para entrar al mundo.

5. Niño incierto. Se mojaba los pies en el agua, tímidamente. Cada vez que reía, una extensa marea bañaba el arrecife de las horas.

6. Las cosas no eran lo que parecían. Quiso ayudarlas.

7. Animales a cada instante, comiendo de su mano. Allá lejos, la eternidad. Un cielo en el que siempre ocurren maravillas, un rostro que le observa y al que dice palabras. Grandes olas golpean la playa y él escucha el latir de su sangre, rotundo y sin sentido.

8. Todo era difícil. Tenía que pararse antes de hablar. Tenía que callar antes de alzar el vuelo.

9. Este pensar haciendo lazadas en el vacío. Este pensar pisando las aguas del lago. La bella ingravidez.

10. Celebró su mayoría de edad viendo pasar las nubes. No logró distinguir ninguna forma.

11. Alguien quería convencerle de lo contrario. Se dejó cortejar.

12. Procesiones de hormigas recogían sus frases y las partían en dos y en tres. Cada cual escogía su preferida, se la llevaba a casa entre los dientes, la edulcoraba con salivas nocturnas, la hiel de las sospechas.

A Life

For Julieta Valero

1. Here and now. Hopelessly. Blind thrashing.

2. Born with a sentence engraved on each palms. The sentence on the left hand was written right side up; that on the left, upside down. When he closed one hand into a fist, the palm of the other shone.

3. Chosen at random. Unsteady and changeable. Filament of blood, brief as the falling of a leaf.

4. She was an extension of his body. She was the absolute limit of his body. Heads and tails, the very coin to enter into the world.

5. Uncertain child. Dipped his feet into the water shyly. With his every laugh, the tide rose and covered the reefs of time.

6. Things weren't what they seemed. He wanted to help them.

7. Animals at every moment, eating from his hand. There in the distance, eternity. A sky in which marvels always take place, a face that watches and speaks words at him. Great waves batter the beach and he hears the beating of his blood, resounding and senseless.

8. Everything was difficult. He had to stop before speaking. He had to fall silent before taking wing.

9. This thinking creating bows in the void. This thinking stepping on the waters of the lake. That beautiful weightlessness.

10. He celebrated his coming of age watching the clouds pass by. He was unable to distinguish any shapes.

11. Someone wanted to convince him of the opposite. He let himself be courted.

12. Processions of ants collected his sentences and broke them in twos and threes. Each one chose their favourite and carried it home between their teeth, sweetening it with nocturnal secretions, the bile of suspicions.

13. El camino se hallaba atravesado por puentes que iban y venían en todas direcciones, y eran mujeres arqueadas en las posturas más disímiles, desnudas, mostrando con orgullo la penumbra imantada de sus sexos.

14. Si tan sólo pudiera detenerse. Si tan sólo pudiera tener, pájaro palpitante, el tiempo entre sus manos.

15. La cabeza en las nubes. Libros bien ordenados en las estanterías. El acordeón del sexo animando las horas, sus sístoles y diástoles. Corazón prevenido.

16. Los fantasmas roían la ciudad y no había lugar para los vivos. Tocó madera. Comió sin continencia.

17. Nubes de polen a la luz oblicua de la tarde. Un aire sutil mueve las acacias y despierta retinas, vislumbres, lujurias tardías. *Tú eres mi sueño, verde sueño de existencia, frágil pero perdurable.*

18. Ser invisible no es tan arduo, pensó. Caminar por el parque y que hasta las raíces parezcan esconderse. Los niños me atraviesan con sus juegos. Las mujeres están cansadas de sus padres. Soy un puñado de ceniza que espera un viento propicio. Soy la mano escogida para aventarme.

19. Para qué la imaginación. Los monstruos se volvieron demasiado reales.

20. Lo primero que vio fue un parpadeo, los dos lingotes de sus torres centelleando al sol. La ciudad prometida. Al principio no quiso verla. Todo inmenso, irreal como un burdo espejismo. Sólo sus pasos no decían mentira. Sólo sus pasos le condenaban.

21. Ciegos embates. Sin remedio. Aquí y ahora. Al fin.

22. Nada ocurrió. Nada dejó nunca de ocurrir.

13. The path found itself crossed by bridges that came and went in all directions, and these were women, naked and arching into the most varied poses, proudly displaying the magnetized shadow of their sex.

14. If he could just stop. If he could just hold, quivering bird, time between his hands.

15. Head in the clouds. Books neatly ordered on their shelves. The accordion of sex enlivening the hours, its systoles and diastoles. Heart forewarned.

16. Ghosts gnawed the city and there was no place left for the living. He touched wood. He ate without restraint.

17. Clouds of pollen in the slant light of afternoon. A subtle air moves the acacias and wakens retinas, glimmerings, belated lusts. *You are my dream, green dream of existence, frail but enduring.*

18. Being invisible is not so hard, he thought. To walk through the park so that even the roots seem to hide themselves. The children see through me with their games. The women are tired of their parents. I am a handful of ash that awaits a favourable wind. I am the hand chosen to scatter myself.

19. What use imagination. The monsters became too real.

20. The first thing he saw was a blink, the two ingots of its towers glinting in the sun. The promised city. At first he didn't want to look at it. All immense, unreal like a crude mirage. Only his steps spoke no lie. Only his steps condemned him.

21. Blind thrashing. Hopelessly. Here and now. At last.

22. Nothing happened. Nothing ever stopped happening.

En algún lugar

Vives en una ciudad donde el trazado de las callejas se parece peligrosamente al de tu corazón. Una ciudad donde las manchas y desconchones de los muros son ventanas que siguen tus pasos, puertas que nadie se atreve a franquear. Donde la ropa tendida propaga mensajes cifrados y los ojos vidriosos de los peces intercambian miradas de reconocimiento con las monedas de cobre de los criados. Una ciudad de torres y alminares que cambian cada día de lugar, de alfombras que vuelan por dentro de los ojos, de lámparas que esconden su propia luz. Una ciudad donde al atardecer grupos de muchachos y ancianos se reúnen en lo alto de las murallas para mirar la explanada del río, el lingote fundido del sol iluminando la vega, las espigas que vibran al más ligero soplo.

Somewhere

You live in a city where the map of the side streets dangerously resembles that of your heart. A city where the stains and chips on the walls are windows that follow your steps, doors that no one dares to cross. Where the hung laundry sends coded messages and the glassy eyes of the fish exchange glances of recognition with the copper money of the servants. A city of towers and minarets that change location every day, of carpets that fly inside one's eyes, of lamps that hide their own light. A city where at nightfall groups of young and old men gather atop the walls to look over the slope of the river, the melted nugget of the sun illuminating the fertile valley, the crops which tremble at the slightest breath.

Plegaria

A Tomás Sánchez Santiago

Río del corazón, deja mi cuerpo
y enhébrate a la tierra,
da nombre a las regiones que no he de atravesar,
sacia la sed de las mujeres con quienes sueño.
Río incesante, funda ciudades míticas
y fluye bajo puentes que la peste asedió,
toldos de mercaderes y pícaros sin suerte.
Lame los pergaminos, tiembla entre líneas,
alumbra las pupilas de severos doctores.
Que los niños tiznados te frecuenten
y las sirvientas te confíen su desamparo.
Río del corazón, puebla la tierra, puebla los tiempos,
háblanos sin descanso del vivir y el morir.

Prayer

For Tomás Sánchez Santiago

River of the heart, abandon my body
and thread the earth,
give name to the regions I must not cross,
quench the thirst of the women I dream.
Incessant river, found mythic cities
and flow beneath bridges the plague besieged,
merchants' awnings and luckless rogues.
Lick the parchments, tremble between the lines,
illuminate the pupils of stern doctors.
May sooty children visit you often
and maidservants confide their helplessness to you.
River of the heart, populate the earth, populate time,
speak to us relentlessly of living and dying.

II

El mundo estaba en ti, en mí, afuera,
insistiendo.
DAVID HUERTA

II

The world lay within you, within me, outside,
insistent.
David Huerta

Elegía

Lo profundo es la sangre aquí dentro,
cintas y más cintas de glóbulos errantes,
discos que fluyen intramuros con lavas caudalosas,
el líquido hormigueo de las venas
como galería de espejos
donde vida y sueño se replican eternamente.
El muchacho que leía en la luz aterida del norte
sigue leyendo bajo acacias africanas
y ve cómo su sombra es su hija, la sombra de su hija.
Las palabras se hicieron savia,
nervadura,
áspera corteza bajo la cual bullían
esquinadas metamorfosis: él mismo.
Entretanto, la sangre siguió girando a ciegas,
abriendo espacio en el espacio de un cuerpo
—páramos, ciudades, dormitorios y oficinas,
demonios y esplendores.
¿Qué importa si hubo vértigo, si el baile
fue a veces aquelarre,
premonición de ruina?
Ahora sólo escucha el parpadeo de las ramas
y la carne de su carne ensanchando el presente.

Lo profundo es la luz aquí dentro.

Elegy

What is deep is the blood here within,
band after band of errant globules,
walled-in discs that flow with gushing lavas,
the liquid tingling of the veins
like a gallery of mirrors
where life and dream eternally answer each another.
The boy who read in the chill northern light
keeps reading beneath African acacias
and sees how his shadow is his daughter, his daughter's shadow.
The words became sap,
nervures,
rough bark beneath which seethed
gruff metamorphosis: himself.
Meanwhile, the blood kept turning blindly,
opening space in the space of a body—
moors, cities, bedrooms and offices,
demons and splendours.
What did it matter if there was vertigo, if the dance
was sometimes a witches' sabbath,
premonition of ruin?
Now he just listens to the flickering of the branches
and the flesh of his flesh expanding the present.

What is deep is the light here within.

Distrito federal

Casas impares, truncas, contradichas.
Pasta un sol de rapiña en los baldíos.

El taxista que no sabe el camino
masculla obviedades interesadas,
barnices para su ignorancia, y todo
se muestra como en gota de resina,
fugas hacia delante por el Periférico,
márgenes de ladrillo visto y descuido.

Un letrero pende bajo la luz ajena.
Es el ojo de un cíclope
hecho de arena y temblor y espejismo.

La extrañeza es una forma de atención,
una distancia desnudada.

La voz del aturdimiento
habla por hablar.
Sus disculpas se han vuelto retadoras.
Es tarde para mí, para todos.
Terca, la miseria se desportilla
entre el ajuar de la modernidad.

Mexico City

Uneven houses, truncated, contradicted.
A rapacious sun grazes on the wastelands.

The taxi driver who doesn't know the way
mutters self-serving truisms,
polishes his ignorance, and everything
looks as if in a droplet of resin,
hurtling flights around the Periférico,
margins of brickwork and neglect.

A sign hangs beneath the alien light.
It is the eye of a cyclops
made of sand and trembling and mirage.

The strangeness is a kind of attention,
an undressed distance.

The voice of confusion
speaks for the sake of speaking.
His excuses have become challenging.
It's late for me, for everyone.
Stubborn, misery becomes chipped
among modernity's trousseau.

Huésped

If only the phantom would stop reappearing!
JOHN ASHBERY, «Faust»

Miro desde la puerta el polvo suspendido,
la luz tardía en las cortinas, y todo el tiempo
el fantasma está ahí: lo intuyo

en la brizna de nada que dura un parpadeo,
el aire al que interroga una página en blanco,
la música difícil de los huesos.

Ha ocupado su puesto junto a las otras sombras.
Una mella en la sangre, un rasguño tenaz.
Algo que no consigo aislar aunque lo intente.

Es rápido y esquivo, no tiene prisa.
Simple como la noche es simple,
como la noche cae con sobriedad de autómata.

Hace mucho que las palabras dejaron de ayudarme,
pero a veces las llamo siguiendo un viejo hábito.
Él brilla entonces un instante, ondea y se disipa,

y un puño de negrura ocupa su lugar hasta borrarlo.
Viejas palabras, viejos hábitos…
Ni siquiera la noche dura lo suficiente.

Ligera y lenta como una sospecha,
la luz de la mañana recorre a tientas el estudio
y todo gira una vez más
en la rueda de las apariciones.

Guest

If only the phantom would stop reappearing!
John Ashbery, "Faust"

From the door I watch the suspended dust,
the late light in the curtains, and all the while
the ghost is there: I sense it

in that wisp of nothingness that lasts a blink,
the air interrogated questioned by a blank page,
the difficult music of the bones.

It's held its position beside the other shades.
A nick in the blood, a tenacious scratch.
Something I can't isolate though I try.

It's quick and furtive, unhurried.
Simple as the night is simple,
as the night falls with the sobriety of an automaton.

Words stopped helping me long ago,
but sometimes I call on them following an old habit.
He shines then for an instant, undulates and dissipates,

and a fist of blackness takes his place until he's nothing.
Old words, old habits—
not even the night lasts long enough.

Light and slow as a suspicion,
the morning light gropes across the study
and everything turns once again
on the wheel of apparitions.

En el parque

Oigo un ruido de pasos
en la gravilla helada,
un chasquido vital y meridiano
que acucia en mis omóplatos.
Miro atrás, miro en torno,
y nada,
sólo el ruido de nuevo,
y nada.
(Arriba pasa el viento).
Sólo
son las hojas que caen,
este morir incandescente de las hojas.

•

Hay hielo en los estanques
y un sol escuálido
me guarda las espaldas.

Desciendo al frío.
Las sombras de los chopos
van conmigo.

•

Quien se detuvo aquella tarde
junto al puente,
sobre la nieve fresca,
nublando el aire con su aliento,
sigue aún al acecho
en esta página.

In the Park

I hear a sound of steps
on the frozen gravel,
a crack, vital and clear,
that cleaves between my shoulders.
I look back, look around,
and nothing,
just the sound again,
and nothing.
(Above the wind flows.)
                                                            It's
just the leaves falling,
this incandescent dying of the leaves.

•

There is ice in the ponds
and a meagre sun
watches over my back.

I descend into the cold.
The shadows of the poplars
accompany me.

•

Whoever stopped that afternoon
beside the bridge,
upon the fresh snow,
clouding the air with his breath,
lies in wait still
upon this page.

5 movimientos

La explanada, con forma de T, es breve y prolonga un pequeño parque que quiere ser francés pero se queda en una mala imitación arruinada por la incuria o la falta de gusto de los urbanistas: una extensión de arena mustia con un par de estatuas vulgares, una fuente historiada pero sin agua, setos con forma de cipreses enanos... Sólo unas hileras de castaños de Indias, a punto de florecer, le dan algo de luz al espacio, lo hacen más habitable.

En un extremo de la T, restos de la lluvia de hace días: grava suelta, ramitas, trozos de ladrillo y erizos de castañas, hojas sucias y migas de caucho de los coches que aprovechan el abombamiento del trazado para aparcar o darse la vuelta. Es una constelación oscura o invertida sobre el cielo negro del asfalto, la huella de un estallido que tuvo lugar en secreto, cuando nadie miraba, y que ahora exhibe sus grumos, su terca materialidad, con la rara simetría de lo que nació por capricho, disgregado por el agua: todo gira y queda flotando para siempre en este negativo de la carta celeste, este mínimo delta de formas dispersas que nos permite, una vez más, recordar cómo es el mundo *cuando no estamos en él.*

•

Se recuestan en los bancos de madera despintada y dejan que el sol de marzo les acoja lentamente: el punzón vivo del aire, la cabeza en ningún sitio, los rostros como agua clara donde no se toca fondo. Van quedando atrás la noche, los ventisqueros del cuerpo, esos erizos de frío que hibernaron en la sangre. *Cada minuto que pasa estoy más cerca del día.* Pesa el tacto de las llaves, su dibujo memorioso. *Me voy a esperar un rato.*

•

El agua de los barrenderos, oscura y lenguaraz sobre la calle recocida. Un alivio, una tregua en el aire. *Umbría.* Pensar en la palabra y sentir cómo prende en la piel, cómo lava los ojos. La sangre es verdinegra. La sangre es clara como el agua que sube del asfalto y prolonga la noche. Si no sabes adónde vas, cualquier camino es bueno. Si no sabes. Una esponja

5 Movements

The esplanade, in the shape of a T, is short and the prolongation of a small park that aspires to be French but remains just a bad imitation ruined by neglect or the urban planners' lack of taste: an expanse of gloomy sand with a few vulgar statues, an illustrious fountain without water, hedges shaped like dwarf cypresses… just a row of chestnuts, about to bloom, give some light to the space, make it more habitable.

At one end of the T, the leftover wreckage of the rain a few days ago: loose gravel, branches, chunks of bricks and chestnut urchins, dirty leaves and bits of rubber from the cars who take advantage of the curved design to park or turn around. It's a dark or inverted constellation on the black sky of the tarmac, the traces of an explosion that took place in secret, when no one was looking, and which now displays its clumps, its stubborn materiality, with the rare symmetry of that which was born by chance, broken up by the water: everything whirls and remains forever afloat in this negative of the star chart, this minimal delta of varied shapes that allow us to remember, once more, how the world is *when we are not in it.*

•

They lie back on the peeling wooden benches and let the March sun slowly shelter them: the living punch of the air, the head nowhere, faces like clear water too deep to touch the bottom. Night, the body's snow-drifts, those burrs of cold that hibernate in the blood all fall away. *Every minute that passes I am closer to the day.* He hefts the weight of the keys, the perfect recall of their outline. *I'm going to wait awhile.*

•

The water of the street-sweepers, dark and garrulous down the over-cooked street. A relief, a respite in the air. *A shady spot.* To think of the word and feel how it ignites the skin, how it cleans the eyes. Blood is greenblack. Blood is clear as the water that rises from the tar and prolongs the night. If you don't know where you're going, any path can get

contra la cara. Mangueras manirrotas, una voz que interpela sin esperar respuesta. El santo y seña de la madrugada.

•

Está leyendo, recostado en la hierba. Con los pies toca el verde, la sábana de sombra. El arco de la espalda, la mano bizca. Dónde tiene los ojos, no lo sabe.

•

Venga, ya vamos, masca la madre por lo bajo, y el pescozón subraya el pronto, el paso cambiado de la impaciencia. Nadie se mira en este juego de malestares. El bóxer corretea junto al niño con la cabeza gacha. Sabe de ira. La huele. La voz es correosa y salta donde menos se la espera, con esa rabia acumulada que ya conocen bien. Nada de rebuscar entre las hojas, de investigar en los bolsillos. Nada de alzar los ojos hacia fachadas cavernosas. El reverso de la complicidad se llama tiempo. Un tiempo largo y vacilante como un túnel. El niño busca al perro por lo bajo. Tiene el pelo revuelto y las rodillas sucias. Saliva en la juntura de los labios. El perro no le mira. El perro es limpio como un amanecer. El perro es la zancada que se cuida a sí misma.

you there. If you don't know. A sponge against the face. Prodigal hoses, a voice that challenges without expecting a response. The password of the early hours.

•

Reading, lying on the grass. Feet touching the green, the sheet of shade. The arch of the back, the cross-eyed hand. Where his eyes are, he doesn't know.

•

Come on, we're leaving, the mother mutters softly, and the slap on the neck underscores her anger, the changed pace of impatience. Nobody looks at anyone in this game of malaises. The boxer trots beside the boy with his head down. He knows anger. Smells it. The voice is agile and leaps where it's least expected, with that accumulated rage they know well. No snuffling among the leaves, poking in pockets. No raising of eyes toward cavernous façades. The flip-side of complicity is called time. Time, long and vacillating, like a tunnel. The child discretely looks for the dog. His hair is mussed and his knees dirty. Spittle at the corners of his mouth. The dog doesn't look at him. The dog is clean as a dawn. The dog is the stride that takes care of itself.

Aire cargado

Las nubes de tormenta se agolpan en el cielo
como bestias en una charca. Nadie
espera nada a estas alturas,
nadie sabe,
pero estaría bien, muy bien, después de todo,
que la lluvia bajara por fin a lavarnos,
que dejara en los ojos deslucidos
un poco de su frío y su caudal.

Un paisaje indistinto de antenas y azoteas
duplica los baldíos de la sangre.
¿De qué hablamos cuando no estamos juntos?
¿Qué miedo se conjuga en nuestras evasivas?

Después de tantas vueltas, sólo queda
rearmar las tropas de la lucidez,
jugar con los insectos de la mente
y decir lo que toca,
si es que decir nos sirve a estas alturas.

La luz tangente de la calle
abre un charco en la mesa, un fuego escueto.
Es tarde para corregirse.
Acudo a él para engañar la sed.

Heavy Weather

Storm clouds crowd together in the sky
like beasts in a puddle. No one
expects anything at this point,
no one knows,
but it might be good, very good, after all,
for the rain to come down at last to wash us,
for it to leave in our dulled eyes
a bit of its cold and its force.

A blurred landscape of antennas and rooftops
duplicates the wastelands of the blood.
What do we talk about when we're not together?
What fear conjugates in our evasions?

After going in circles for so long, all that's left is
to re-arm the troops of lucidity,
to play with the insects of the mind
and to say what is expected of us
if saying anything serves us at this point.

The street's slant light
opens a puddle on the table, a simple flame.
It's late to mend one's ways.
I turn to it to deceive my thirst.

Nocturno

La copa es grande y ancha de fondo, excesiva para el pie que la sostiene. La luz de la barra brilla con fijeza detrás de los cubos de hielo y la ginebra casi helada, casi palpable. Hablas con la lucidez imprevista y falsa y convincente del alcohol, respiras tras la cortina de la música y escuchas, o finges escuchar, lo que un rostro súbitamente contraído te dice como una revelación. Y luego el mandato saludable de la decadencia, los adioses truncos, el aire de la calle que te exalta y te hace saltar olas imaginarias. Estabas por entero ahí y estaba todo claro. El alcohol borraba la grieta entre el cuerpo y su sombra, la distancia del pensamiento al acto. Y entonces ni pensar ni hacer fueron posibles, sólo un cuerpo sombrío, el crespón de la sangre saltando sobre sí misma.

•

Desvelado, camina de madrugada por el pasillo a oscuras. En el salón, envuelto aún por la bruma del sueño, sorprende la luz azulada de la luna en la mesa, los libros, las fotografías. Es una claridad que dibuja hoyuelos, nervios incipientes, como si las figuras del mundo estuvieran cobrando forma o hubieran empezado a perderla. Un estadio intermedio, una duda entre dos certezas. Fuera, el frío detiene el tiempo y se aprieta con violencia contra las ventanas: un pie en el cuello de las horas, un ojo insolente tras el cristal. Qué haces, qué vas a hacer. Y la espera llenándose de noche y del fin de la noche, la pregunta como un cuerpo que ocupa y le conduce tercamente hacia la luz, las figuras lunares borrándose de nuevo para crear el día, su lugar en el día.

Nocturne

The goblet is large and wide-bellied, too ample for the stem that holds it. The light from the bar shines solidly behind the ice cubes and the almost-frozen gin, almost touchable. You speak with the unforeseen clarity, false and convincing, of the alcohol, you breathe behind the curtain of the music and you listen, or pretend to listen, to what a suddenly-upset face tells you as a revelation. And then the healthy mandate of decadence, the truncated farewells, the street air exalting you, making you leap imaginary waves. You were all there and everything was clear. The alcohol erased the gap between body and its shadow, the distance between thought and act. And then neither thought nor action were possible, just a sombre body, the ribbon of blood leaping over itself.

•

Sleepless, he walks the hallway in darkness in the small hours. In the living room, still wrapped by the mists of sleep, the bluish light of the moon upon the table, the books, the photographs surprises. It's a clarity that sketches hollows, incipient nerves, as if the figures of the world were taking shape or had begun to lose it. An intermediate state, a doubt between two certainties. Outside, the cold stops time and violently presses against the windows: a foot upon the neck of the hours, an insolent eye beyond the glass. What are you doing, what will you do? And the wait filling itself with night and the end of the night, the question like a body he occupies which leads him stubbornly toward the light, the lunar figures vanishing again to create the day, their place in the day.

Estaciones

1

Has vuelto a retrasarte,
pero la novedad
no es esa, siempre te retrasas,
siempre lo has hecho,
y la tensión que asoma mientras pones
los platos
o remueves el guiso que nunca está en su punto
es otra cosa,
el barbecho de un cielo inapetente
que calla lo que ha visto,
el frío seco que da en hueso
cuando abres la puerta y no es nadie.

2

El miedo,
es el miedo otra vez, piensas, mientras la luz
se hace más fuerte
en el patio interior y la mañana
arranca sin certezas,
tan sólo la voz de una niña
en el piso de al lado, un ruido
de puertas y ascensores
para gentes seguras de su oficio,
nombres redondos,
y la leche que hace un momento pusiste al fuego
se quema.

Seasons

1

You're late again,
but that's not
news, you're always late,
since always,
and the strain that appears as you
set the table
or stir the stew that's never just right
is something else,
the fallowness of a lacklustre heaven
which stays mute about what it's seen,
the dry cold in the bones
when you open the door and it's nobody.

2

Fear,
it's the fear again, you think, as the light
grows stronger
in the inner courtyard and morning
kicks off without certainties,
just the voice of a girl
in the flat upstairs, a sound
of doors and elevators
for people sure of their role,
solid names,
and the milk that a moment ago you placed on the stove
burns.

3

Las cosas que te dicen
son muy sensatas, pero
no te interesan,
están muy lejos de ayudarte,
y sólo
por respeto te paras a escucharles,
sin impaciencia,
mientras hundes el pie entre malentendidos
y el silencio prospera
como un tumor en la garganta, tienes
razón, no lo había pensado,
y el paso fiel, el ojo acuoso.

4

Lo que sueñas es una mancha
en las horas, un tallo negro
que se extiende a hurtadillas
y pone sus tentáculos aquí,
donde la sangre
es débil, donde el aire se vuelve más escaso
y hiere,
y tu nombre no está en ninguna boca,
y todo el día
vas y vienes entre dos aguas
sobre el fiel de ti misma,
tratando de no ahogarte.

3

The things they tell you
are very sensible, but
they don't interest you,
they're very far from helping you,
and only
out of respect do you stop to listen,
without impatience,
as you sink your foot between misunderstandings
and the silence prospers
like a tumour in the throat, you're
right, I hadn't thought it,
and the faithful step, the watery eye.

4

What you dream is a stain
on the hours, a black stalk
that spreads stealthily
and places its tentacles here,
where the blood
is weak, where the air becomes thinner
and hurts,
and your name is not on any lips,
and all day
you come and go wavering
upon the balance of yourself,
trying not to drown.

5

Desiertos de los días, demonios de mis noches,
decidme,
¿qué fue de la materia que fue vida,
en qué acabaron
la sangre y su latido, el agua
crispada del deseo?
Ya no quedan preguntas,
tan sólo una insistencia muda,
como el dormir,
y la niña que el tiempo no ha disuelto
jugando
con la noche, con los demonios, consigo misma.

5

Deserts of days, demons of my nights,
tell me,
what happened to the stuff that was life,
when did blood and its beating
run out, the tense
water of desire?
There are no more questions,
just a mute insistence,
like sleep,
and the girl who time has not dissolved
playing
with night, with demons, with herself.

Contrapunto

Habitamos el mismo territorio
pero mapas distintos. En el tuyo
las calles son el testimonio de una escisión
y la luz brilla obscenamente
sobre las trazas de este mundo sublunar.
Hay silencio, palabras desmedidas,
el cansancio febril de la vigilia
y un animal baqueteado por el tiempo
que te brinda consuelo.
Por mi lado hay orgullos, impaciencias,
el afán de agradar y el miedo a conseguirlo;
convivo con imágenes que la palabra ha prestigiado
pero vivo a disgusto con su ambiguo sentido:
calles vacías, espejos de misántropo
y paisajes inmóviles bajo una luz postrera.
A los dos nos agota una culpa genuina
que a fuerza de insistir parece falsa,
excusa de malos pagadores.
Nuestras palabras mágicas raramente concuerdan,
tampoco los remedios de los que echamos mano
los días más pensados,
cuando vibran los nervios y la mente se enrosca
a punto de saltar sobre sí misma.
Sólo de noche, algunas veces, nuestros cuerpos
cruzan las líneas furtivamente
para firmar una tregua perpleja,
difícil,
el armisticio que es ahora nuestra vida.

Counterpoint

We inhabit the same territory
but different maps. In yours
the streets are the testimony of a rift
and the light shines obscenely
upon the features of this sublunar world.
There is silence, immoderate words,
the feverish tiredness of the vigil
and an animal beaten down by time
who offers you consolation.
On my side there is pride, impatience,
the desire to please and the fear of doing so;
I dwell with images that words have conjured
but live vexed with their ambiguous sense:
empty streets, misanthropic mirrors
and still landscapes beneath a final light.
Both of us are exhausted by genuine guilt
that seems false from such insistence,
the excuses of late payers.
Our magic words are rarely in harmony,
nor the remedies we resort to
on most expected days,
when nerves rattle and the mind coils
about to spring upon itself.
Only at night, sometimes, our bodies
cross the lines furtively
to sign a perplexed, difficult
truce,
this armistice that is now our life.

Epílogo

Están sobre las sábanas,
inciertos,
desarbolados,
con su pose como de trapo. Una vez
giraron con violencia hasta hacerse invisibles,
esconderse uno del otro, pero ahora
se acogen a su sangre quieta,
su terquedad sin prisa. Les imanta
la luz en diagonal de la tarde de junio,
la luz y sus tenazas tenues
removiendo su porción de rescoldos.
Estuvo en ellos el desvelo, la voracidad,
se abrió la piel para cerrarse de un portazo
y una ráfaga de frío respiró desde ningún sitio
hacia los rostros en fuga.
No hay más. Nada ha cambiado.
Y luego los cuerpos,
la distancia entre los cuerpos.

Epilogue

They lie upon the sheets,
uncertain,
depleted,
arrayed like rags. Once
they spun with violence until becoming invisible,
hiding one from the other, but now
they take refuge in their quiet blood,
their unhurried stubbornness. Magnetized
by the slant light of the June afternoon,
the light with its vague tongs
stirring its portion of embers.
Within them was sleeplessness, voracity,
flesh opened to suddenly slam shut
and a gust of cold breathed from nowhere
toward their fleeing faces.
There's nothing more. Nothing has changed.
And then the bodies,
the distance between the bodies.

El visitante

Avanzó entre las tumbas del viejo camposanto
buscando una inscripción, un nombre familiar.
El sol brillaba ecuánime sobre cruces y lápidas
perfilando las muescas funerarias
con su buril de sombra.
Oyó voces lejanas, un coche que arrancaba,
pero evitó volverse. Mejor pisar la hierba,
caminar junto al muro tachonado de musgo
entre mosquitos perezosos
y allí, como quien cumple una vieja promesa,
arrodillarse lentamente
y limpiar con las manos la piedra de otro tiempo,
la firma irrevocable que justifica un viaje:
su propio nombre.

The Visitor

He moved among the tombs of the old churchyard
searching for an inscription, a familiar name.
The sun shone indifferently above crosses and tombstones
outlining the funereal engravings
with its chisel of shadow.
He heard distant voices, a car engine starting,
but avoided looking back. Better to step on the grass,
walk toward a wall studded with moss,
through a cloud of lazy mosquitoes,
and there, like someone fulfilling an old promise,
to kneel slowly
and clean with his hands a timeworn stone,
the irrevocable signature that justifies a journey:
his own name.

Ficción

No quise abrir la puerta
ni que se abriera para mí:

me bastó el ojo de la cerradura
para pasar al otro lado

y ver la casa donde el tiempo
era un zumbido en la cocina

y nosotros oíamos, al fondo,
la obstinación del mar,

el crujir obediente de la arena
—y luego por las noches

cómo la curva de las luces
que llevaban al faro

se retorcía en forma de pregunta
para que respondieras: *nadie, nada,*

me despierto con miedo
y el miedo me mantiene alerta,

por qué esta angustia
que insiste en los pasillos...

Tal vez nos queríamos suavemente,
sin decirnos gran cosa,

y en el salón nos rodeaban fotos
de una vida ficticia

Fiction

I didn't want to open the door
nor for it to open before me:

the keyhole was all I needed
to pass through to the other side

and see the house where time
was buzzing in the kitchen

and we heard, in the distance,
the sea's obstinacy,

the obedient crunch of the sand—
and then after night fell

how the curve of the lights
that led to the lighthouse

twisted like a question
for you to answer: *no one, nothing,*

I wake with fear
and the fear keeps me alert,

why this anguish
that insists in the hallways…

Perhaps we loved one another gently,
without saying much,

and in the living room photos
of a fictitious life surrounded us

que recordábamos por turnos
y jamás en el mismo orden,

hasta que una mañana,
cuando el mundo pedía amanecer,

un harapo humeante del frío
se escurrió por el techo

y dibujó una cruz en esta puerta:
la puerta que daba a ningún sitio.

Despertamos a cielo abierto,
en mitad de la playa,

y era como si hubiéramos dormido
desde el principio de los tiempos:

entre el chillar de las gaviotas
y el olor a salitre.

No quise abrir la puerta
ni pedir que se abriera

—tras ella escribo, he muerto,
sigo viviendo.

that we remembered in turns
and never in the same order,

until one morning,
when the world begged for dawn,

a steaming scrap of cold
skittered across the roof

and traced a cross on this door:
the door that led nowhere.

We woke to open sky,
in the middle of the beach,

and it was as if we'd slept
since the beginning of time:

between the seagull's screeches
and the reek of saltpetre.

I didn't want to open the door
nor ask that it be opened—

beyond it I write, I've died,
I'm still living.

Aquí, ahora, en ningún sitio

Cuando llegaste a la ciudad ingrávida
y el tren de los insomnes quedó atrás
sólo ella te esperaba.
Puestos bajo los tilos, colores de mercado,
el sol iluminando el fango de la ría
bajo un cielo intachable

y los ojos del puente mirando hacia la noche.
Perseguimos respuestas
pero vivimos sin porqué.
Era final de julio y en los cuerpos
brillaba el fuego del presente,
el oro satisfecho de la carne.

Nunca hubieras imaginado
que el viaje acabaría así,
divagando por calles sentenciosas
que daban siempre la hora exacta.
Bramaban truenos a lo lejos
pero nadie parecía inquietarse.

Las respuestas no se veían por ningún sitio,
no se hallaban escritas en los muros
ni en las hojas que un niño repartía en la plaza
con la mueca de un fauno.
¿Qué buscabas realmente?
Entrasteis en la ciudadela en ruinas

y nada os recordó el pasado: ningún temblor,
ninguna marca,
por discreta que fuera.
Los fantasmas de viejos caballeros
se retaban a duelo en el patio de armas
pero verlos no estaba a vuestro alcance.

Here, Now, Nowhere

When you reached that weightless town
and the train of the sleepless stayed behind
only she awaited you.
Stands under the linden trees, market colours,
the sun lighting up the mud of the estuary
under a spotless sky

and the bridge's eyes looking toward the night.
We pursue answers
but live without cause.
It was the end of July and bodies
shone with the light of the present,
the satisfied gold of flesh.

You'd never have imagined
the journey would wind up like this,
wandering through dogmatic streets
that always struck the exact time.
Thunder roared in the distance
but no one seemed to worry.

Answers were not seen anywhere,
not found written on the walls
nor in the leaves that a child scattered in the plaza
with the grin of a faun.
What were you looking for?
You both entered the ruined citadel

and nothing reminded you of the past: no shudder,
no mark or scar,
no matter how discrete.
The ghosts of old knights
challenged one another to duels in the weapons yard
but you could not see them.

Este lugar no cambia, dijo ella,
como si eso explicara algo.
Queremos una vida
pero la vida está donde nos huye.
Las aguas del puerto eran grises
como las piedras de las escolleras

y pronto los vencejos apagaron el aire
con el manto apretado de su voracidad.
La piel lo gobernaba todo. Y en las terrazas
las mujeres se cubrían los hombros
y pedían a sus acompañantes
la cabeza del tiempo.

This place doesn't change, she said,
as if that explained something.
We want a life
but life is where it flees from us.
The waters of the port were grey
like the stones of the jetty

and soon the swifts turned off the air
with the thick mantle of their greed.
Skin ruled everything. And on the terraces
the women covered their shoulders
and asked their companions
for the head of time.

Una ciudad en el norte

A Joaquín Gallego

Minucioso, se arregla ante el espejo
y no sabe, de pronto,
por qué ha viajado tan al norte,
qué hace aquí, redimido del tiempo del reloj,
bajo una luz escueta que esta mañana, junto al muelle,
parecía brotar de la niebla, del agua helada,
para encender apenas el hueco de una mano,
un claro entre los tilos.
Iba solo, sintiendo el crujir de la nieve
bajo las botas,
mirando escaparates, los tejados de cobre,
y no pensó que luego vendrían las preguntas.
Caminó mucho tiempo, demasiado,
como si le moviera una culpa inconcreta, indetectable,
que sólo cobraría forma al acatarla,
hasta que la ciudad se le metió en los huesos como el frío:
terquedad, zigzagueos, el polen de la diferencia
trasmutado en asombro. Pero ahora,
mientras se anuda la corbata
y arquea un ojo apreciativo,
ya no está tan seguro.
El abrigo en la cama, la bufanda, los guantes,
son síntomas de ajenidad, y fuera
todo es como en el sueño que tuvo alguna vez:
charcos de sombra y nieve amontonada,
coches que avanzan lentamente, como sonámbulos,
bajo la luz anaranjada de las farolas,
calles en calma que son el molde de sí mismas.
¿De verdad está aquí? Y, sin embargo,
todo es real, lo ve, puede tocarlo,
y el espejo le apremia con su licor altivo.
Es hora de salir; hora de verse
con la mejor versión de su futuro,

A City in the North

For Joaquín Gallego

Meticulous, he gets ready before the mirror
and, suddenly, doesn't know
why he travelled so far north,
what he's doing there, released from the timeclock,
under a plain light that this morning, beside the pier,
seemed to sprout from the fog, from the frozen water,
to barely illuminate the hollow of a hand,
a clearing among the linden trees.
He was on his own alone, feeling the crunch of the snow
under his boots,
looking at shop windows, the copper roofs,
not thinking that later the questions would come.
He walked a long time, too long,
as if moved by an unspecific guilt, undetectable,
that would only take shape if he obeyed it,
until the city settled into his bones like the cold:
stubbornness, zigzags, the pollen of difference
turned into amazement. But now,
as he knots his tie
and arches an appreciative eye,
he is no longer so certain.
The coat on the bed, the scarf, the gloves,
are symptoms of otherness, and outside
everything is as in the dream he once had:
puddles of shadow and piled snow,
cars that move slowly, like sleepwalkers,
under the orange light of the streetlamps,
quiet streets that are the mould of themselves.
Is he really here? And yet
everything is real, he sees it, can touch it,
and the mirror urges him with its emboldening liquor.
It's time to go out; time to meet
the better version of his future,

en este laberinto que la estación sostiene
con mano de hierro. Un viento negro
lo sorprende en la puerta, entonces, un soplo
como venido del reverso del mundo,
y él recoge y apila sus propios fragmentos,
esta sangre de pronto vulnerable,
antes de reponerse y seguir andando.
Nada es nunca como lo concebimos.
Pero también: la vida
sabe ganar la espalda a sus peores augurios.
Entre fachadas puntuales que la noche agiganta
un extraño se sube el cuello del abrigo.

in this labyrinth the season holds fast
with an iron hand. A black wind
surprises him at the door, then, a gust
as if from the other side of the world,
and he gathers together and piles up his own fragments,
this suddenly vulnerable blood,
before recovering and continuing on.
Nothing is ever as we conceive it.
But also: life
knows how to get past its worst omens.
Between plain exteriors made larger by night
a stranger lifts the collar of his coat.

Una página, un jardín

Un repentino florecer de caracteres,
De signos vivos, surgidos de la nada
Charles Tomlinson

Manchas, bosquejos, nubes negras
en tu cielo de calígrafo,

y de pronto la lluvia sobre el jardín de musgo,
las piedras encendidas junto al estanque:

gris contra gris en la seda pintada.
En esta calma de humedades o inmanencias

late la tinta incisa: una rapaz que se abate
y acobarda las aguas con sus tercos talones.

Esquejes, trazos foscos,
signos de savia que retoñan hasta extenuarse.

Pisas las baldosas humildes
y otro suelo cede, ni aquí ni allá,

entre dos mundos que se enlazan
en la punta de los dedos.

Vendrá la bruma enemiga, borradora,
pero no aún.

Entretanto pintas, no pintas,
miras los pinos desperezarse, tan cerca.

A Page, A Garden

A sudden blossoming of each character,
Of living letters, sprung from nowhere...
CHARLES TOMLINSON

Blots, rough outlines, black clouds
in your calligrapher's sky,

and suddenly rain upon the garden of moss,
the lighted stones beside the pond:

grey against grey on the painted silk.
In this liquid, latent calm

the incised ink thrums: a bird of prey that plummets
frightening the waters with its hard claws.

Cuttings, murky brush strokes,
traces of sap that blossom until exhausting themselves.

You step upon the humble tiles
and another floor gives way, neither here nor there,

between two worlds that intermingle
at the tips of the toes.

The enemy mist will come, erasing,
but not yet.

Meanwhile you paint, don't paint,
watch the pine trees rouse from sleep, so close by.

Notas a pie de vida

A Juan Carlos Mestre
a la manera de Penelope Shuttle

1. i.e. de ojos claros.

2. Término con el que, en ciertos ritos de paso, se invoca a una criatura benéfica con lengua de serpiente, cola de ratón y buche de paloma torcaz.

3. En aquella época, era costumbre regalar llaves a las embarazadas.

4. Se refiere a los cerros de Úbeda.

5. Dícese de la franja de luz que asoma por detrás de puertas entornadas. También se aplica al cieno blando, suelto y pegajoso, de color oscuro, que se halla en algunos lugares del fondo del mar o de los ríos.

6. En inglés, *baby squid.*

7. Minutos después de la medianoche del 24 de octubre de 1967, una banda de grullas sobrevoló el hospital donde su madre debía parirlo. Aunque el dato ha sido comúnmente desdeñado por los estudiosos, resulta de lo más sugestivo para entender esta etapa de su vida.

8. i.e. de pulgares largos y gruesos.

9. De quien se decía que iba donando segmentos de su voz tras haberla cortado con la hebra más fina de una cuerda de violín.

10. En francés en el original.

11. Vivió felizmente hasta los 111 años.

12. «La escarcha ejerce su secreto oficio, / sin ayuda del viento» (S. T. Coleridge).

13. Contrabajista de jazz y habitual en numerosas sesiones de los años noventa, en 2002 entró a formar parte de la banda estable del Club Green Mill de Chicago.

14. Ropa vieja.

Life Footnotes

For Juan Carlos Mestre
in the manner of Penelope Shuttle

1. i.e. clear eyed.
2. Term by which, in certain rites of passage, a beneficent creature is invoked with snakes tongue, mouse tail, and the crop of a wood pigeon.
3. In that time, it was the custom to give keys to pregnant women.
4. Without beating around the bush, refers to the hills of Úbeda.
5. Said of the stripe of light that peers from behind closed doors. Also applied to the soft mud, loose and sticky, dark in colour, found in some places at the bottom of the sea or of rivers.
6. In English, baby squid.
7. Minutes after midnight on October 24th, 1967, a flock of cranes overflew the hospital where his mother was to give birth to him. Although this information has commonly been disdained by scholars, it is most suggestive to understand this period of his life.
8. i.e. having large, thick thumbs.
9. Of whom it is said he gave away segments of his voice after having cut it with the finest threads of a violin string.
10. In French in the original.
11. He lived happily until the age of 111 years.
12. "The Frost performs it secret ministry, / unhelped by any wind." (S.T. Coleridge)
13. Jazz double bass player and a mainstay of sessions during the 1990s, in 2002 he joined the regular house band of Chicago's Green Mill Club.
14. A dish of *ropa vieja*.

15. Klaus Conrad, quien acuñó el término en 1959, lo define como «visión de conexiones sin razón ni fundamento», acompañada de «experiencias en que, de modo anormal, se da sentido a lo que carece de él».

16. i.e. de pies pequeños.

17. Dícese de los bancos de nieve que se forman a ambos lados del camino.

18. De noche, en el estanque del pueblo, ponen a flotar peces de trapo. Entonces remueven el agua con grandes pértigas de madera, lo que significa que llaman a la puerta de los sueños de sus hijos.

19. Caparazón de las tortugas de agua o galápagos.

20. El diccionario lo define como «tenue recubrimiento céreo que presentan las hojas, tallos o frutos de algunos vegetales».

21. «Traedme un orinal / y veré dentro el mal» (*Roman de Renart*).

22. Su amigo Guillaume recuerda que salieron de casa en plena ventisca para traer leña del garaje y se vieron obligados a tender cuerdas entre el porche y la manilla del portón para no perderse.

23. i.e. uñas manchadas de tierra.

24. Toda clase de arroz.

25. Juncos de pescadores al atardecer.

26. Según Alberto Magno, «el cerebro, tomado por sí solo, es muy frío».

27. Forma de energía que liberan los alimentos básicos (pan, leche, legumbres) cuando pasan de una mano a otra.

28. Si hemos de creer a Arnold, fue entonces cuando el mundo de la música volvió a tentarle.

29. Fósiles de huellas de grandes reptiles ya extinguidos.

30. Pasaje que evoca unos famosos versos apócrifos de Apollinaire: «Me aventuro cual gato gris / por los tejados de París».

15. Klaus Conrad, who coined the term in 1959, defines it as "unmotivated seeing of connections" accompanied by "a specific feeling of abnormal meaningfulness".

16. i.e. having small feet.

17. Said of the snowbanks that form on both sides of the path.

18. At night, in the town pond, they float rag fish. Then they stir the waters with large wooden poles, which means they knock at the gates of the dreams of their children.

19. Shell of the Galápagos or Water turtles.

20. The dictionary defines it as "faint waxy coating of the leaves, stems or fruits of some vegetables."

21. "My lord, here is an urinal; as soon as I behold the colour of your kidneys, I will give you my opinion of the state you are in." (*Reynard the Fox*)

22. His friend Guillaume remembers that they left the house and entered the gale to get firewood from the garage and were forced to stretch cords between the porch and the door handle so as not to get lost.

23. i.e. nails stained with dirt.

24. All kinds of rice.

25. Fishing Junks at Sunset.

26. "The brain itself in its skull is very cold", according to Albertus Magnus.

27. Form of energy released by basic foodstuffs (bread, milk, legumes) when they pass from one hand to another.

28. If we are to believe Arnold, that was when the world of music attracted him once again.

29. Fossils of footprints of already extinct large reptiles.

30. Passage evoking some famous, apocryphal verses by Apollinaire: "I venture like a grey tomcat / across the rooftops of Paris."

31. Se trata, como es obvio, de una especulación sin fundamento.

32. No se ha dicho que, según el mito, cuando los segmentos de voz se dejaban caer sobre el agua (véase nota 9) se creaba una película muy fina donde era posible revelar los sueños de la noche precedente.

33. También conocidos como «los puertos grises».

31. Clearly, this is baseless speculation.

32. It has not been said that, according to myth, when the segments of voice were allowed to fall on the water (see note 9) a very fine film was created, where it was possible to develop the dreams of the night before.

33. Also known as "The Grey Havens."

De vita beata

Así las cosas,
decidió que no más,
que le bastaba el crepitar del cielo,
el hondo gris de los cañaverales.
«Los dioses se arrodillan en tu casa»,
oyó decir, y sonrió complacido.
Pájaros en la mano, el silencio de arena
de las horas, la cal embridando los ojos.
La oblea de la vida se fundía en su lengua,
en la sangre tentacular, y era un cansancio
sereno, casi experto,
la raíz de la nieve retoñada en su mano.
Todo viajaba en un carril transigente,
luces que brillan o se apagan según las horas.
Retirado en la paz de estos desiertos,
para qué libros, refutaba,
y luego: para quién.

De Vita Beata

Given how things were,
he decided enough was enough,
the crackling of the sky sufficed,
the deep grey of the reedbeds.
“The gods kneel in your home,”
he heard, and smiled complacently.
Birds in the hand, the silence of sand
of the hours, the lime bridling the eyes.
The wafer of life melted on his tongue,
in his tentacular blood, and it was a serene,
almost expert tiredness,
the root of the snow sprouted in his hand.
Everything travelled on a tolerant track,
lights that shone or switched off depending on the time.
Retired to the peace of this desert,
what use are books, he refuted,
and then: and for whom.

Tregua

Bajo el agua de cobre de la tarde
mira cómo la sangre pactó con sus demonios.
Días sin culpa, dioses próximos
como el aire que silba en los aleros:
la luna, que es amiga del erizo de mar;
el sol, que da calor a sus entrañas.

Truce

Under the coppery water of evening
mark how blood struck a deal with its demons.
Blameless days, gods as intimate
as the air that whistles in the eaves:
the moon, which is friends with the sea urchin;
the sun, which heats its entrails.

III

MONÓSTICOS

Escribo con palabras que tienen sombra pero no dan sombra.
Guillermo Sucre

III

MONOSTICHS

I write with shadowed words that don't offer shade.
GUILLERMO SUCRE

1

Alguien llega por el pasillo a oscuras.

2

Está de pie junto a la puerta.
Dice: «Vengo a traerte noticias de tu vida».

1

Someone arrives along the darkened hallway.

2

He stands beside the door.
Says: “I come to bring you news of your life.”

3

El viento en los relojes es más puro.
Nadie confiesa lo que importa, y eso está bien.
Una lluvia menuda gotea en las renuncias.

4

Parpadeas igual que una pantalla en un salón vacío.
En el fondo del bosque las palabras no pesan.
Un niño se perdió volviendo a casa, y así comienza todo.
Tengo los ojos rojos de tanto hablar contigo.

3

The wind in the clocks is purer.
Nobody confesses what matters, and that's good.
A slight rain drips in the resignations.

4

You blink just like a screen in an empty room.
Deep in the forest, words have no weight.
A boy got lost on his way home, and that's how everything begins.
My eyes are red from talking so much with you.

5

Lo que dice la música no se puede decir.
Estuvo con nosotros pero nadie le pone cara.
Aquí donde me ves, yo tenía la vida resuelta.
Burlando la hora punta silba un afilador.
Sé bueno y guárdame el secreto, anda.

6

¿Y quién es este que aparece sin avisar?
¿Este que ahuyenta la neblina dando palmas?
¿El que da voces en un patio vacío?
¿Vendedor, curandero, camorrista?
¿Por qué vino tan tarde a este mundo tan viejo?
¿Cuándo vas a decirle que se vaya?

5

What the music says can't be said.
It was with us but nobody recognizes it.
Believe it or not, I had my life all sorted.
Mocking rush hour, the knife-sharpener whistles.
Be a good boy, now, and keep my secret.

6

And who is this who appears unannounced?
Who frightens off the mist with clapping?
Who shouts in an empty courtyard?
Salesman, witch doctor, troublemaker?
Why did he come so late to this world that's so old?
When will you tell him to go away?

7

Una casa. Un salón. Una pantalla.
Si no sabes qué ocurre, afina los oídos.
Fuera, el viento sacude los pliegues de los toldos.
Vida es lo que se deja interrogar.
Unos dedos son unos dedos son unos dedos.
Fuera, el viento perturba el agua de los charcos.
Si pones atención, oirás voces.

8

Comenta que está bien, que ya pasó.
Tiene la espalda señorial, casi olímpica.
Luego la voz le cambia, de pronto, y todo es antes.
Viene de un duelo colectivo, de un aquelarre blanco.
No es posible dejar de ser lo que uno fue.
O también: esa puerta que se abrió sigue abierta.
Así empiezan los cuentos: un niño se pierde en el bosque.
Si algún pájaro habló con él, no lo sabemos.

7

A house. A room. A screen.
If you don't know what's happening, listen more closely.
Outside the wind shakes the folds of the awnings.
Life is what allows itself to be questioned.
Fingers are fingers are fingers.
Outside the wind stirs the water of the puddles.
If you pay attention, you'll hear voices.

8

She says she's OK, that it's all over.
Her back is stately, almost Olympian.
Then her voice changes, suddenly, and all is as before.
She comes from a collective grief, a white coven.
It is not possible to stop being what one was.
Or also: that door that opened remains open.
This is how tales begin: a boy got lost in the forest.
If some bird spoke with him, we don't know.

9

Esto quiero: vivir en los comienzos.
Quedar del lado del augurio, la conjetura.
El tallo que descuella.
Caminas por defecto sobre la tierra roja.
Si miras a tu espalda siempre sobran palabras.
No estás en lo que estás, no prestas atención.
Grotesco el gesto del arrepentido.
Un niño juega donde las acequias, bajo el sol de septiembre.
El agua suena en sus oídos pero no hay agua.

10

Se congregan las nubes, casi sonámbulas, casi vegetales.
Y la ciudad al fondo, como un mosquito en ámbar.
¿Sabes por fin de lo que hablas?
Coches que rayan el asfalto mojado.
Yemas de luz en solares vacíos.
Decir lo justo fue siempre quedarse corto.
Quien salía de casa refinaba su fe.
Quien salía de casa aprendía sus límites.
Superficies opacas, desabridas.
Láminas que a la vez se atraen y se repelen.

9

This is what I want: to live in the beginnings.
To remain beside prediction, surmise.
The stem that stands out.
You walk by default upon the red earth.
If you look back, words are always surfeit.
You don't pay attention, you're absent.
Grotesque the gesture of the regretful.
A boy plays near the ditches, beneath the September sun.
Water sounds in his ears but there is no water.

10

The clouds gather, almost sleepwalking, almost vegetable.
And the city in the background, like a mosquito in amber.
Do you know at last what you're talking about?
Cars that scratch the wet tarmac.
Yolks of light in empty lots.
Saying just enough was always falling short.
Who left home sharpened his faith.
Who left home learned his limits.
Opaque surfaces, harsh.
Metal sheets that both attract and repel each other.

II

Starman

Sabía ver el mundo como si no estuviera en él.
Olvido, indiferencia, estas eran sus señas.
También piedad, a veces, una extraña ternura.
El piloto parpadeaba a ratos, con desgana.
No era cosa que debiera inquietarle.
Según el plan en curso, sobraban las urgencias.
Sin embargo, sentía un rastro de los antiguos vínculos.
Algo se removía a tientas allá dentro.
Corrigió una palabra de su informe y se puso a esperar.
Siguió esperando mientras la Tierra giraba.
Si las piezas debían encajar, él no veía cómo.

II

Starman

He knew how to see the world as if he wasn't in it.
Oblivion, indifference, these were his traits.
Also piety, sometimes, a strange tenderness.
The pilot blinked sometimes, unwillingly.
Nothing that should trouble him.
According to plan, urgencies were needless.
Nonetheless, he felt an echo of the old ties.
Something shifted blindly there inside.
He corrected a word of his report and began to wait.
He continued waiting while the Earth kept on turning.
If the pieces had to fit together, he didn't see how.

10

Una lengua de nieve al final de la calle.
Los rescoldos del sueño no pasaban de ahí.
Al otro lado el tiempo, el mundo, *lo real.*
Al otro lado cuerpos, extrañezas.
¿Sabes por fin de lo que hablas?
Pasos que discurrían entre puertas idénticas.
Una luz replegada, incapaz de tocarte.
Caminabas por el ovillo de tu prudencia.
Caminabas, y tu prudencia era infinita.
Despertaste en mitad de la calle, desnudo.

9

¿De verdad ha venido para quedarse?
Hojas a contraluz, la cabeza en la hierba.
Estudia el modo de cambiar y ser el mismo.
Como el cielo. Como este azul de junio, que no miente.
Estás aquí, y aquí es ninguna parte.
Es cuestión de esperar.
A este lado del tiempo hasta el silencio habla.
Lo tienes en la punta de la lengua.
Arde como un tizón y no ilumina.

10

A tongue of snow at the end of the street.
The embers of sleep didn't go further.
On the other side: time, the world, *the real.*
On the other side: bodies, strangeness.
Do you know at last what you're talking about?
Steps that wandered through identical doors.
A folded-up light, unable to touch you.
You walked along the tangle of your prudence.
You walked, and your prudence was infinite.
You awoke in the middle of the street, naked.

9

Has he really come to stay?
Backlit leaves, head in the grass.
He studies how to change and still be himself.
Like the sky. Like that June blue, that doesn't lie.
You're here now, and here is nowhere.
It's a question of waiting.
On this side of time even silence speaks.
It's on the tip of your tongue.
It burns like a firebrand and doesn't illuminate.

8

Seguir el curso de las cicatrices.
La sombra que respira en los flancos del valle.
Late un río bajo tus pasos.
Sólo será tuyo si lo interrogas.
Si lo llamas para que huya.
Así empiezan los cuentos: alguien sale de casa.
De pronto es otra casa, otra ciudad.
Si pregunta cómo volver, está perdido.

7

Si pones atención, oirás voces.
Eso decía el viento en los aleros.
La flauta viva del afilador.
Cosas del tiempo, piensas.
Nunca está donde se lo espera.
Es el paso que das y la liebre que salta.
Quieres palabras que den la hora justa.

8

To follow the path of scars.
The shadow that breathes on the flanks of the valley.
A river pulses beneath your steps.
It will only be yours if you question it.
If you call it so it flees.
This is how tales start: someone leaves home.
Suddenly it's another house, another city.
If he asks how to go back, he's lost.

7

If you pay attention, you'll hear voices.
That's what the wind in the eaves said.
The knife-sharpener's living flute.
Time's idiosyncracies, you think.
It is never where you expect it.
It is the step you take and the shock of what happens.
You want words that tell the exact time.

6

¿Quién viene dando voces por la calle?
¿Quién arma bulla y nos despierta de madrugada?
¿Juerguista, loco, sin hogar?
¿Por qué vuelve tan tarde a este mundo tan viejo?
¿Es que no sabe cómo las gastamos aquí?
¿Por qué insiste en faltarnos al respeto?

5

No queda nadie en pie, los tuyos duermen.
El silencio se vierte sin prisa en tus oídos.
Un no es no es no.
No hay nadie a quien culpar, ningún pretexto.
Alguien, en otra noche, piensa furiosamente en ti.

6

Who approaches shouting on the street?
Who raises this ruckus and wakes us in the wee hours?
Partygoer, madman, homeless?
Why does he return so late to this world that's so old?
Is he not aware of how we do things here?
Why does he insist in being disrespectful?

5

No one is awake, your people all sleep.
The silence spills slowly into your ears.
No is no is no.
There is nobody to blame, no pretext.
Someone, in someone else's night, thinks furiously of you.

4

No era el río lo que sonaba.
Era el viento en los árboles, su promesa de lluvia.
Vuelve de pronto, tras la cortina de los meses.
El rigor de los chopos era nuestro rigor.

3

Una lluvia menuda nos calaba los huesos.
Nadie miró la hora, sin embargo.
Callar era el camino, los pies en el camino.

4

It wasn't the river that made a noise.
It was the wind in the trees, its promise of rain.
It returns suddenly, across the curtain of months.
The sternness of the poplars is our sternness.

3

A slight rain soaked our bones.
Nobody looked at the time, though.
Keeping quiet was the path, our feet on the path.

2

Ya casi no distingues su rostro en la penumbra.
El hilo de su voz no se enciende si lo tocas.

1

Así empiezan los cuentos: un viajero regresa a casa.

2

You almost can't make out his face in the shadows.
The thread of his voice doesn't light up if you touch it.

I

This is how tales begin: a traveller returns home.

Acknowledgements

Thanks are due to the editors of the following publications, where some of these poems first appeared (sometimes in earlier drafts): *Agenda, Poem, Structo, And Other Poems, and Glasgow Review of Books*.

'Here' was commissioned by Isidro Hernández, who curated the retrospective exhibition that TEA (Tenerife Espacio de las Artes) devoted in 2012 to Maribel Nazco's work as sculptress in the 1970s.

'Wound' was written in response to the book *Fragmento* (2004) by poet Marta Agudo.

'A Page, A Garden' was included in a catalogue of paintings by Mela Ferrer (Madrid, 2013).

'Monostichs' was published separately in 2012 by Del Centro Editores (Madrid), in a limited edition illustrated by painter Haritz Guisasola.

I wish to thank Lawrence Schimel for his patience, his good spirits and his always *being there*, with the right words.

The Author

Jordi Doce (Gijón, 1967) holds a BA in English Literature and wrote an M.Phil Thesis on the work of English poet Peter Redgrove. He worked as Language Assistant at the University of Sheffield (1993-1996) and The University of Oxford (1997-2000). He has translated the poetry of W.H. Auden, John Burnside, Anne Carson, T.S. Eliot, Charles Simic and Charles Tomlinson, among others, and has published six volumes of his own poetry: *La anatomía del miedo* (1994), *Diálogo en la sombra* (1997), *Lección de permanencia* (2000), *Otras lunas* (2002), *Gran angular* (2005), and, most recently, *No estábamos allí* (Pre-Textos, 2016).

He is the author of two books of aphorisms (*Hormigas blancas*, 2005 and *Perros en la playa*, 2011) and three book-length essays on the influence of English Romanticism on Spanish modern poetry (*Imán y desafío*, 2005), the work of T.S. Eliot and W.H. Auden (*La ciudad consciente*, Vaso Roto, 2010), and contemporary English and American poetry (*La puerta verde*, Saltadera, 2019).

Currently he lives in Madrid, where he works as translator and teacher in creative writing. He is also poetry editor at Galaxia Gutenberg Publishers.

The Translator

Lawrence Schimel (New York, 1971) writes in both Spanish and English and has published over 115 books as author or anthologist, in a wide range of genres. He lives in Madrid, Spain and works as a literary translator. He regularly contributes translations to *Words Without Borders, Modern Poetry in Translation, Latin American Literature Today, Pleiades, PN Review*, and other journals, and has a won a PEN Translates Award from English PEN, among other honours. Other poetry collections he has translated include: *Nothing is Lost: Selected Poems* by Jordi Doce (Shearsman Books, 2017), *I'd ask you to join me by the Río Bravo to weep but you should know neither river nor tears remain* by Jorge Humberto Chávez (Shearsman, 2016), *Destruction of the Lover* by Luis Panini (Pleiades Press, 2019), *Bomarzo* by Elsa Cross (Shearsman, 2019), *Impure Acts* by Ángelo Néstore (Indolent Books, 2019), and *I Offer My Heart as a Target* by Johanny Vázquez Paz (Akashic, 2019).

Lightning Source UK Ltd.
Milton Keynes UK
UKHW021027230922
409328UK00001B/247